KB136915

우리가 별자리로 이어지지 못한대도

우리가
별자리로
이어지지
못한대도

차례

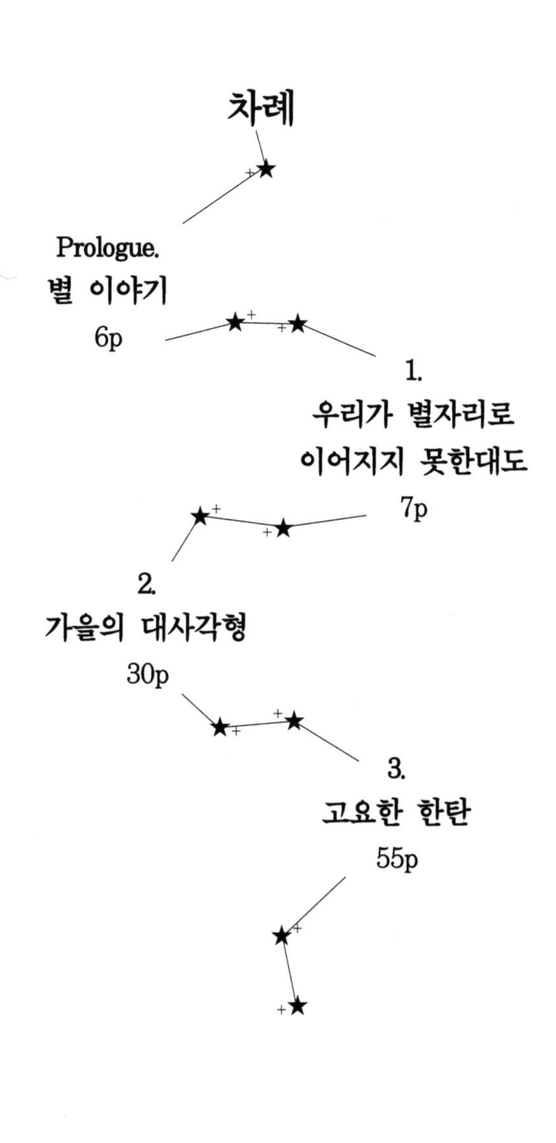

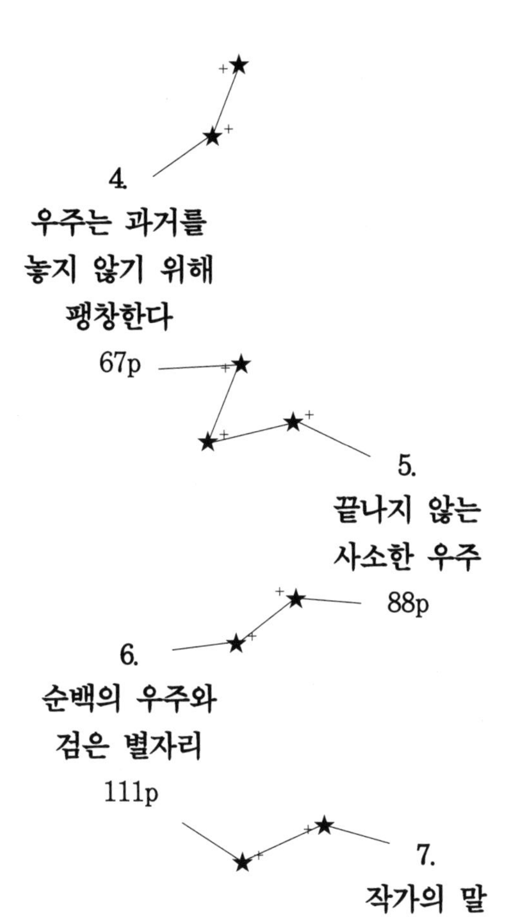

별 이야기

별이 있다.

우주를 유영하고 끝없이 비행하는,
언제 태어났고 언제 사라지는지 모르는,
잠깐 반짝였거나 이제 곧 반짝일,
영원히 빛나거나 영원히 빛나지 않을,

어떨 때는 꿈을 싣고,
어떨 때는 사랑을 싣고,
또 어떨 땐 슬픔을 싣는,
어떨 때는 행복을 노래하고,
어떨 때는 절망을 노래하며,
또 어떨 땐 자신을 노래하는,

우주의 작은 청춘인
별이 있다.

1. 우리가 별자리로 이어지지 못한대도

★⁺

우리의 별자리는

아픔조차 사랑이고
사랑조차 아픔이라면
우리의 별자리는,
결국에는 아플 것이고
결국에는 사랑할 것이다.

사랑이 사라진 별

사랑이 사라진 별에는
눈물만이 고인다.

고이고 또 고이는데
정작 흘리지는 못해서,
고인 눈물에 빛이 반짝이면
어떤 별보다 가장 빛나는,
어떤 별보다 가장 찬란한 별이 된다.

사랑이 사라진 별은,
이별만이 남은 별은
어떤 별보다도 밝게 빛나서
애써 외면해도 빛나는 것이다.

그렇게 또 흘리고 흘려서
빛이 점점 꺼져가는 탓에
별이 빛나지 않을 때까지
눈물로 우주를 채워야 한다.

사랑이 사라진 별에는,
슬픔이 가득한 별에는
매일 눈물로 지새우는 탓에
내가 살고 있나 보다.

고이지 않는다

내, 고이지 않는 사랑은
모양새가 어색하게도
어딘가 구멍이 나 있어,
넘치지도 고이지도 않는다.

흐르고 흘러 밤하늘에 수 놓인 별처럼
목적 없는 이동을 한다.
분명 목적 없는 사랑은 사랑이 아닌데,
자꾸만 흐르고 흘러 드넓은 우주를 꾸며놓는다.

아마 영원히 바닥나지 않을 내 사랑은
달도 태양도 어떤 것도 아닌
오로지 단 하나의 별을 위해
단 하나의 너를 위해서
눈물처럼 흐르고 또 흘러가는 줄 알았건만,

너는 내 흐르는 사랑을,
고이지 않는 사랑을
받지 않고 다시 흘려보낸다.
도대체 이 사랑은
어떤 별로 흐르는 것이길래,

구멍을 통해 우주의 망망대해로 퍼져
주워 담을 수도 없게
이리도 나를 힘들게 하나 모르겠다.

우리가 별자리로 이어지지 못한대도

너는 밝게 빛나는 별,
나는 별이 되지 못한 행성.

너는 날 비추는 별,
나는 널 비추지 못한 행성.

그렇기에 나는
별과 별 사이 어딘가에서
빛나는 별의 상영을 관찰하는 행성.

너와 내가 별자리가 되지 못한대도,
서로 무관한 우주의 독립체라 해도
그저 너의 우주 안에,
너는 나의 우주 안에
공전할 수 있다면,

우리가 별자리로 이어지지 못한대도
우리는 무관한 별과 행성으로,
우주의 작은 아픔으로 남아

너의 반짝임을,
별의 생애를 살아보겠다.
너의 소멸까지, 별의 소멸까지.

짝사랑

누군가를 일방적으로 사랑하는 마음.

그 마음은
우주와 닮았고
동시에 우주와 정반대의 마음.

이 마음은
얼마나 아픈 마음인가.
얼마나 쓰라린 사랑인가.
얼마나 멀리 있는 그리움인가.
얼마나 불행한 외로움인가.

우주가 끝없는 시작이라면
짝사랑은 시작 없는 끝이기에.

이별이 아니라 작별이었음을

사랑했고 사랑하지 않았기에
우리는 우리가 아니게 되었다.

너도나도 원치 않는 헤어짐은 아니었기에
이별이 아니라 작별이라 부르기로 하였지만,

내가 너를 사랑하고
너도 나를 사랑한다면
언제든 다시 별자리가 될 수 있다면,

우리가 우리가 아니게 된 별은
이별이 아니라 작별이었음을
영원한 헤어짐은 아니었음을
너도나도 깨달았으면.

이별의 우주는

이별의 우주는 눈물로 가득한 빛나는 별이 전부일 텐데, 당신은 어째서 이리도 후련한 빛을 비추나요. 당신이 헤매던 우주는 나라는 집착이었는데 이 후련함은 해방인가요 쓸쓸함인가요. 말하지도 못할 편지를, 우주를 유영할 뿐인 편지를 적어내는 것은, 이 또한 나라는 집착일까요. 나의 우주는 아직도 눈물이 가득 고인, 별과 편지뿐인데 어째서 당신은 이별의 우주 안에 없나요. 어째서 당신의 우주는 이별의 우주가 아닌가요. 팔을 뻗으면 닿는 곳에서 왜 이리 멀어진 상태인가요. 이 별에서 이별을 함께하는 당신인데, 어째서 같은 우주가 아닌 것처럼 멀어졌나요.

우주 속 먼지

내가 우주의 먼지라면
네가 나의 우주였으면 좋겠다.

곧 털어낼 먼지여도 좋으니
내 우주는 너였으면 좋겠다.

수많은 별들 끝에
사소하게 숨겨져 있을 티끌만 한 먼지.

사랑, 슬픔, 행복,
모든 별을 외면하고 도달한 작은 먼지.

우주는 그 먼지를 몰라도
먼지는 그 우주만을 바라보고 있으니까.

감정의 이야기를 담은 별도
어떤 별보다 빛나는 별도
빛나지 않는 불행의 행성도
그 무엇도 아닌,

털어내려면 언제든 털어낼 수 있는
우주 속 먼지에 불과하면 좋겠다.

확실히 그편이 별보다 덜 아플 테니.

네가 털어낸 먼지는

덜 아플 줄 알았건만 죽을 듯이 아팠다.
끝없이 추락하고 또 추락해서
끝에는 땅에 처박혔는데
어찌 먼지 따위가 이리도 아플 수 있을까.

그저 나는 먼지였음을 바란 것인데
돌이켜보니 나는 빛나는 작은 별이었구나.
네가 털어낸 우리의 관계는
작은 아픔이 아니었구나.

네가 털어낸 먼지는 별똥별이 되었다.
네가 털어낸 나의 아픔은 고작,
밤하늘의 창공을 갈라서
아름다운 푸른 곡선을 긋는
한 편의 시가 되었다.

목이 쉰 사랑

목이 쉬도록 불러보아도
대답이 돌아오지 않는 건,
우주에 그대가 없어서일까,
소리가 없어서일까.

이렇게나 시끄럽게 울려대는
별들의 이야기에
네 이름이 파묻히지 않게
목에서 피 맛이 날 때까지,
목이 남아나지 않을 때까지 외쳐야 닿을까.

얼마나 많은 사랑이 존재하길래
우리의 사랑은 닿을 수조차 없는 걸까.
더 간절하게 외치면 닿을 수 있을까.

무너진 우주

어느 날,

쿵, 하는 소리와 함께
우주가 무너졌다.
어쩌면 내 심장이
추락하는 소리였나.

너는 단 한 번에
내 우주를 무너뜨렸다.
내 우주는 너였는데,
내 우주는 무너졌는데
너는 태연하게 서 있다.

우주는 이렇게 쉽게 무너질 리 없는데,
내 우주는 무너졌다.

아,
너는 우주가 아니구나.
너의 우주는 내가 아니구나.

쿵쿵쿵.

우주가 무너지는 소리인지,
내 심장이 뛰는 소리인지.

무너진 이유

무너졌다는 건,
너무 강력했고
너무 약했기 때문이다.

보듬어주는
그 마음이 너무 강했고,
보호받지 못한
그 마음이 너무 약했기 때문이다.

그 때문이어야 한다.

운석 충돌

무엇인가가 내 마음을 찢었다.
날카로운 말인지 행동인지 마음인지,
무엇인지는 몰라도
푹 찔러 찢었다.

차갑고 고요한 바다에
뜨겁고 시끄러운 운석이
적막을 깨고 들어온 것처럼.

아마 말이었나보다.
그만하자는 이별 통보의 말.

이렇게 쉽게 멸망할 사랑이 아닌데,
단순히 운석이라기에는
너무 거대했나 보다.

멸망

나에게 너는 멸망 그 자체였다.

땅만 보며 걷던 나에게
밤하늘이라는 더 넓은 세계를 알려주었고,
바닥을 기던 나에게
하늘을 나는 기분이란 것을 알려주었다.

원래 살던 나의 일상은
너로 인해서 무너지게 됐다.

그렇게 내 일상을 비집고 들어온 너도
자연스레 내 일상이 되었고,
네가 떠난 그 날,
내 일상은 다시 멸망을 이루었다.

내 사랑의 형태는 멸망일 수밖에 없는 걸까.
굳이 많은 아픔 중에 멸망이어야 하는 걸까.
멸망이 이리도 쉬웠나.

얼마나 많은 멸망이 일어나야
이 멸망을 잊을 수 있을까.

네가 떠난 곳

네가 떠난 곳이
우주는 아니길 바라.

하염없이 불러도
말하지 못하는 내 목소리가
우주에서는 닿을 수 없으니,

함께 들었던 노래도
거대한 적막에 삼켜져
네가 듣고 찾아올 수 없으니,

우주만은 아니길 바라.

뺨을 타고 추락하는 별

흐르는 네 눈물은 꼭
고이지 않는 은하수 같아서,
저 울음을 전부 토해내면
네게서 빛이 사라질까 겁났다.

눈에서 뺨으로,
뺨에서 땅으로
별들이 하나둘 추락한다.
이것이
땅인지 밤하늘인지,
별인지 눈물인지.

네게서 빛이 사라진다면
그건 아마 내 탓이겠구나.

왜 겨울에 별이 더 잘 보일까요

거리에는 담배 연기 대신
입김만이 나도는 겨울입니다.

온몸을 벌벌 떨면서
옷을 수차례 끼워 넣었는데
별은 춥지도 않은지
벌거벗은 채로 환하게 빛나네요.

오늘의 별들은 왜 이리 뚜렷한가요.
이번 겨울은 그대 없는 계절인데.

겨울의 밤은 왜 이리 길고 긴 밤인가요.
저 별들을 외로이 헤아릴 밤인데.

왜 겨울에 별이 더 잘 보일까요.
아마 그건 그대의 부재인가요.

법

무너지지 않는 법,
좌절하지 않는 법,
두려움을 응시하는 법,
좋은 사람이 되는 법,
실패하지 않는 법,
당신과 작별하는 법,
당신을 잊는 법,
밤하늘을 올려다보지 않는 법.

나는 이렇게
지켜지지 못할
법들을 지키며 살고 있다.

부여잡는 추억

심장을 부여잡게 되는 추억이라면
아마 가장 아픈 기억이거나
가장 사랑했던 기억이어서
저 멀리 어딘가
여백에 채워 넣어야 한다.

그렇지 않으면,

영원히 부여잡게
될 심장이어서,
평생의 절반을
떠올릴 추억이라서.

어쩌면

어쩌면, 나는 내가 아닐지 몰라.

없는 너를 그리워하고
있지도 않은 바다를 상상하고
드넓은 우주에 네가 떠 있다며
추상적인 나날을 보내는 나는
내가 아닐지 몰라.

어쩌면 나는
네가 그리운 게 아닐지도 몰라.
어쩌면 나는
바다를 상상한 게 아닐지도 모르고
어쩌면 나는
우주에 떠 있는 네가 아닌
별이 그리웠던 걸지도 몰라.

어쩌면 이라는 말을
입에 달고 살지 않으면
어쩌면, 나는 네가 없이 살 수 없을지도 몰라.

사랑을 사랑해서 생긴 흉터

사랑을 사랑하기란 쉽지 않다.
사랑까지도 쉽지 않은데,
어떻게 그 사랑을 사랑하기까지 하겠는가.

그런데 놀랍게도
사랑하다 보면 그 사랑까지
전부 사랑하게 되어있더라.

그러다 보면
이별까지 사랑하게 되고
그리움까지 사랑하게 되더라.

그렇게 너무나도 사랑한 나머지
흉터로 자리 잡아서
내 한평생을 괴롭히더라.

내 마음에 새겨진 흉터 모두,
사랑을 사랑해서 생긴 흉터여서.

잊는 법

저 밤하늘처럼
빛나는 기억만 남기면
안 되는 걸까.

이젠 너를 잊고
다시 미래로
나아갈 수 있게.

좋은 것만 남기고
다시 일상으로
돌아갈 수 있게.

네가 있던 과거는
별처럼 작은 조명으로
여기 걸어두고 갈게.

내가 할 수 있는
최선의 잊는 법이니까.

2. 가을의 대사각형

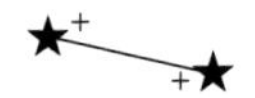

별이 지고 그 끝에는

별이 지고 그 끝에는
너와 나,
그리고 사랑조차 남지 않겠지만

별이 지고 그 끝에는
눈물과 슬픔이 남아
우주를 떠돌 것이다.

아마 지금의 우주도
슬픔의 결정체겠지,
저기 밤하늘에 빛나는 별들도
눈물의 결정체겠지,
하면서도 별들은,
우리는 사랑을 한다.

별이 지고 그 끝에는
우리도 저 별들처럼
다시 피어날 것이다.
눈물과 슬픔만이 남은 우주에서도
다시 피어난 별에서도,
다시 별이 질 때까지
너를 사랑할 것이다.

너와 나,
그리고 사랑조차 남지 않을 때까지.

마음을 늘어놓은 밤하늘

네가 밤하늘을 올려다보면
네가 보고 있는 밤하늘이
내 마음이었으면 한다.

네가 보고 있는 별들이
단순히 빛나는 구슬이 아닌
너를 비춰주는
내 작은 칭찬들이고

네가 보고 있는 달이
그저 달빛을 뽐내는 원형이 아닌
네가 길을 잃지 않게
길을 안내해주는
내 걱정이었으면 한다.

어쩌면 끝이 없을 밤하늘에
내 마음 하나하나 전부 늘어놓아도
턱없이 부족할 것이다.

별똥별은 사랑을 타고

본 적은 없지만
참으로 아름다울 것이다.
사랑의 꼬리를 그리며
떨어지는 별똥별은.

아마 그 별똥별 중
하나는 나일 것이다.

분노, 절망, 슬픔.
모두 우주에 두고
사랑의 종착지를 향해서,
별똥별은 사랑을 타고 내려온다.

나도 내 사랑의 종착지를 향해
사랑을 타고
네 곁에 떨어질 것이다.
아플지도 모르지만
네 곁에 떨어질 별똥별이 되어서.

종착지와 목적지

내 사랑의 종착지는 너였으면 좋겠다.
종착지를 향하기 위해 잠깐 들렀다 가는 목적지가 아닌,
내 생의 마지막까지 정착할 수 있는 종착지.

지금 유영하고 있는 우주도,
내 주위를 공전하고 있는 별도,
목적지를 가기 위한 쉼터인 우주정거장도 아닌,
그냥 네가 내 종착지였으면 좋겠다.

이제야 올려다본 밤하늘

밤하늘 위로
글자를 새겨 시를 쓰다 보면
자꾸만 저 달에
네 얼굴이 비쳐 보인다.

별들은 지치지도 않는지
쉴 새 없이 각자의 얘기를 하고,
나는 어떤 별의 이야기인지도
모른 채 받아적는다.

네가 좋아하는 밤하늘도 이런 형태일까.
재잘재잘 떠들어주는 별들과
사랑하는 사람의 얼굴을
비추는 달이 있는 형태일까.

그래서 자꾸만 밤하늘을 올려다보는 걸까.

우주보다 무한한 이야기

사랑은 우주보다
무한한 이야기를 품고 있다.
그래서인지 때로는
전부 담기지 않는다.
나는 별을 헤아리던 내 손으로
헤아렸던 별들의 이야기를 받아 적는다.

누구의 사랑은 무뎌지지 않도록,
누구의 사랑은 작아지지 않도록,
누구의 사랑은 빛바래지 않도록.

밤마다 듣고 적기를 반복해서
별들을 담는다.

비록 사랑은 무한하고
내 손이 무한하진 못해도,
헤아린 별의 개수는 무한하지 않으니.

나아가는 별에게는 응원을,
뒤처진 별에게는 나아갈 힘을,
그리워하는 별에게는 그리움의 대상을,
여기에 담고 또 담는다.

사랑이 품은 우주가 가볍지만은 않다는 걸 알기에.

사랑의 안쪽

내가 죽는 곳은,
사랑의 안쪽이었으면 좋겠다.

때로는 우주처럼 잔잔하고
때로는 별처럼 넘쳐흐르는
그런 사랑의 안쪽.

죽어도 여한이 없겠다 싶을 무렵,
그 안에서 서서히 죽어가고 싶다.

사랑받았고
사랑했다면,

그 안에서 서서히 죽어가고 싶다.

빛나지 않는 별

빛나지 않는 별조차
사랑을 알 텐데
어째서 빛나지 않는다는 이유가
사랑 소실의 원인이 될까.

빛나지 않는 별은
별일 이유가 없는데
저 가장 빛나는 별을
사랑하고 말아서
없는 빛까지
따다 주고 싶은 마음에
사랑까지 소실된 거야.

사랑마저 소실된 별에는 그저
행성이라 불리는 일만 남았는데
아직도 묵묵히
가장 빛나는 별을 사랑해서
사랑이 소실된 채로도
사랑하고 말아서,

우주에도 마음에도
빛나지 않는 별은
하나쯤 존재하는 거야.

진부한 사랑

사랑은 모두 진부하지만
그 진부함에는 이유가 있다.

사랑은 어쩌면
가장 아름다운 마음이기에,
낡고 늙은 마음이어도
단 하나의 마음이기에,

대체할 수 없는
진부한 마음에는 이유가 있다.

밤하늘의 큐피드

화살 모양 별자리를 그리고
화살촉은 내 마음으로 바꾼다.

내 마음을 대변하듯
저 별자리는 로맨틱한 빨간색.

이대로 내가 밤하늘의 큐피드가 되어
너에게 저 화살을 던질 수만 있다면,

아마 매일같이 밤하늘을 보며
너를 그릴 일도 없을 텐데.

불꽃놀이

퍼벙!

별인지 폭죽인지
구분이 안 되던 밤.

내 옆에 서서
눈 안에 폭죽을 담던
단 한 줌의 빛도
외롭지 않게 불꽃을 담던,

그날 밤하늘의 빛들을
눈망울에 모아둔 너는

뿌려진 어느 빛보다도
가장 아름다웠다.

네 빛이 바래도

매일 같이 별을 보며
좋아하던 너를 위해

어제는 장미꽃을 그렸고
오늘은 내 마음을 그렸다.

그런데 너는
내가 미처 발견하지 못해
잇지 못한 빛바랜 별까지 이어,

너의 마음을
내가 그린 마음보다 크고 아름답게,
밤하늘 전체를 빌린 그림인 듯
나에게 선물해주었다.

나도 네 빛이 바랠 때까지,
빛바랜 이후에도 너를 사랑하겠다고
그때쯤 생각했을 것이다.

내 별자리

내 별자리가
네 옆자리면 좋겠다.

너는 이런 내 진심을
단순한 말장난인 줄 알고
못마땅해했지만,

진심인데.

내 별자리는
네 옆자리면 좋겠다.

인공위성

너는 가장 밝게 빛나는 별이라며
저 멀리서 빛나는
인공위성을 짚었다.

가장 찬란한 별은
내 옆에 있는데,
별도 아닌 인공위성 보고 별이란다.
사랑스러운 그 모습에,
가장 찬란한 네 빛에
눈이 멀었다.

그래서인지 이제는
별인지 인공위성인지
눈이 멀어 잘 모르겠다.

네가 갖고 싶다고 하면
별이든 인공위성이든
그저 따다 주고 싶은 마음이다.

별을 빼닮은 눈

별을 빼다 박은 듯한 네 눈은
잠든 내 밤을 깨우기에는 충분했다.

공허한 꿈속에서 헤맬 시간을
빛나는 네 눈으로 가득 채워준,
계절마다 다른 별들로 나를 바라봐준,

별을 빼닮은 눈을 가진 너는
사랑을 빼닮은 우주가 아닐까.

우주비행사

어릴 적 꿈이었던 우주비행사는
다시 내게 작은 희망으로 불어왔다.

저 예쁜 달이 너라서
우주선은 달에 닿을까 싶어,
꾹꾹 잘 눌러 담은
작은 편지도 함께 보내면
너도 내 마음을 알아줄까.

유난히 달이 밝은 오늘,
희망은 더 강하게 뿌리내린다.

혜성

네가 내 마지막이었으면 좋겠다.

지난밤,
무심코 나타났다 사라진 혜성이
다시 돌아오기 전까지만
그때까지만 살아 숨 쉴 테니,
내 삶에 나타나
내 생의 끝까지 머물러줬으면 좋겠다.

혜성처럼 잠깐 반짝해도 좋으니
너무 짧지도 너무 길지도 않게
정말 딱 75년.

내 삶이 끝날 때까지.
다시 혜성이 돌아오기 전까지.

전부 사랑 이야기

결국은 돌고 돌아
사랑 이야기.

전부 같은 사랑 이야기
전부 다른 사랑 이야기

아마 손 뻗으면 닿을 이야기.

별보다 멋진 별

별들이 가득 고인 은하수는
얼마나 더 흘러야,
이 길고 긴 역사를 끝낼까.

별들의 역사는,
저 멋진 빛깔은
아직도 꺼질 기미가
전혀 보이지 않는데

저 별보다
더 멋진 빛깔은,
부모님은 왜
이렇게나 시들시들한 빛인가.

곧 꺼질 불처럼
아슬아슬하면서도
이제야 타오르기 시작한
내 빛을,
그 무엇보다 듬직하게
입김을 불어 넣는다.

고이지 않는 사랑으로,
별보다 멋진 빛으로.

보고 싶은 마음

늦은 가을에 김을 피우는
팥과 슈크림을 담은 붕어빵.
너는 머리부터 먹었었지,
하며 붕어의 머리를 물었다.
네가 보고 싶은 맛이었다.

어둠을 먹고 사는
밤하늘을 비행하는 별과 달.
너는 밤하늘을 자주 올려다봤었지,
하며 별과 별 사이를 이었다.
네가 보고 싶은 그림이었다.

무엇을 해도 네가 생각나고
머리를 자꾸 울려대고
가슴을 마구 찢는 것이
도대체 뭐가 문제일까,
하며 또 네 생각을 했다.
네가 보고 싶은 마음이었다.

우주에 붕 뜬 기분

우주에 붕 뜬 기분.
그런 기분으로 시간을 보냈다.

너와 나,
우리를 제외하고는
아무것도 남지 않은 것처럼
마치 이 순백의 우주가
우리만은 서술하는 것처럼

우주에 붕 뜬 기분.
그것 말고는 설명할 방법이 없다.

아름다움의 형태

아름다움의 형태는
어떤 모습을 지닐까.

사랑일까, 영화일까,
습도일까, 체온일까,
시간일까, 사람일까.

지금인가.

겨울철 건조한 습도,
사랑을 노래하는 영화,
따뜻한 네 체온,
피부를 타고 느껴지는 사랑과
늦은 시간이 아님에도
언덕 너머로 걸친 태양,
그리고 가장 중요한
별처럼 빛나는 너까지.

이게 아름다움일까.
한 장면이 아닌,
딱 지금의 형태.

가을의 대사각형

10월,
우리가 사랑에 빠진 계절.
몹시 쌀쌀했다.
구름 한 점 없었고
바람은 차고
햇볕은 따뜻했던 날.
밤공기는 청아하고
유난히 별이 밝았던,
가을이라고 할 수 있는
가을의 한가운데 날.
우리는 여전히
그날 함께 올려다본
밤하늘 안에 있다.
우리의 아름다운 사랑이,
밤하늘의 아름다운 별자리가
서로를 이어놓은
가을의 대사각형 안에.

사랑이란 영화

사랑이란 영화의 결말은
불가피한 이별이라는 걸,

알고서도 영원을 바라는 것은
아마 우주를 기만하는 짓일 테지만,

우주를 기만해서라도,
슬픈 결말인 걸 알면서도
사랑하고 싶은 마음은
도저히 저버릴 수 없다.

아마 우리 사랑은
이미 저 밤하늘 어딘가
상영 중인 영화겠지만
영화가 끝나지 않길
영원을 바랄 수는 없는 거겠지만
정말 그럴 수는 없겠지만,

우리의 사랑은 결말 없이
영원의 반만이라도 사랑하면 안 될까.

3. 고요한 한탄

멀쩡한 우주

시름시름 앓는 꽃처럼
저마저도 곧 떨어질 별인데,
우주는 왜 이리도 멀쩡한가.

저 별이 떨어지면
저 빛이 가려지면
이 푸른 별에 더는
별이 남지 않을 텐데,

우주에게 남은 별은 한참인지
아직 저렇게 꼿꼿하구나.

저 별은 곧 떨어질 별인데

도태된 쇼

모두가 잠든 밤에 하늘에서는 쇼가 펼쳐진다.
크기도 빛의 세기도 제각각인 별들이
저를 뽐내겠다며 마음껏 빛나던 밤하늘.

그렇게 쇼를 감상하다 보면
내 영혼은 어느새 우주 한가운데에 와있다.

언제까지 이 멋진 무대를 감상할 수 있을까.
아마 100년도 채 안 될 것이다.

우주는 곧 높은 아파트로 덮이고
별빛은 모두 가로등으로 대체되겠지.

그때면 아마 내 영혼도 마음도
이 푸른 별에 남지 않을 것이다.

이 별, 지구

이 별은 절대 푸르지 않다.
이 별은 절대 가볍지 않다.

가끔은 별보다 희망찬 밝은색을,
가끔은 눈물처럼 투명한 색을,
가끔은 무너져내린 무거운 절망의 무게를,
가끔은 가볍지만은 않은 사랑의 무게를.

이 별에서는

이 별에서는
사랑 따위 싹트지 않는다.
전부 거짓된 별.
이별조차 허락되지 않는 별.

이 별에서는
단지 행위만이 남아있다.
감정이 상품이 된 별.
자본만이 돌고 돌아 공전하는 별.

일하고
밥 먹고
잠을 자고.

다시,

일하고
밥 먹고
잠을 자고.

이 별에서는
사랑 따위 싹틀 틈이 없다.

차라리

지구가 멸망했으면 좋겠다.

사실 별도 아니면서
빛난 적도 없으면서
사람들을 현혹했다.

현혹당한 사람들도 멍청하다.

자신을 빛내는 건
저 하수구 옆에 떨어진
별처럼 빛나는 작은 동전,
그런 돈뿐인데.

저런 작은 별에는
눈길조차 주지 않는다.

스스로가 빛낸 적은 없으면서
남의 노고의 빛만을 탐하면서
별을 소망한다.

별은 그런 게 아닌데,
남의 도움 없이 노력하는 빛인데,
동전 따위 없는 빛인데.

그러니까 이 행성이 별인 줄 알았겠지.

사실 이 행성은

지구가 스스로 빛내지 못하는 이유는
스스로 빛나지 않는 사람들에게 있다.

입력된 명령어만을 실행하는
인공위성 같은 사람들.
누구보다 밝게 빛나 보이지만
사실 만들어낸 빛인 위성.

그런 인공위성이
지구를 가로막고 있어서,
스스로 빛내는 원석은
알아볼 수 없도록
더 밝은 빛으로 은폐하려 해서,

그저,
빛내지 못하는 행성에 불과한가 보다.

길 잃은 별

내 비틀거리는 몸과
초라하기 짝없는 마음처럼
성하지 않은 몸 살피는 밤하늘에는
여전히 방황하는
젊은 별이 떠 있다.
저 별은 돌고 돌아
마지막에는 어디로 가는 걸까.

이 방황에, 정착지란 어디일까.

길 잃은 별 따라
한참을 걷다 보면
나 역시 길을 잃을 테지만
별의 몸짓에는 갈등이 묻어나와
차마 등 돌리기 쉽지 않다.

저 방황에, 정착지란 어디일까.

가고 싶은 길을 가려는 별에게
가도 괜찮다며 손짓했지만,
불안은 가시지 않는 듯
제자리를 빙빙 돌며 빛낸다.

그 방황에, 정착지는 없는 걸까.

늙은 별들이 그 길이 아니라며
다른 별 무리를 가리킨다.
빙빙 돌기를 그만둔 별은
죄책감 가득한 몸으로
제 길이 아닌 걸 알면서도
다른 별들의 길을 따라 걷는다.

불안과 죄책감 속에서 안주하는 별아,
그 길은 네 길이 아닐 텐데.

열등한 별

분명 잘 빛나고 있고
분명 노력하고 있는데
나는 아마도
열등한 별인가 보다.

시 한 편이,
문장 한 줄이,
투박한 표현들이
내 전부인데.

어째서 내 전부는
다른 별들의 취미에
미치지 못하는 걸까.

내가 열등한 탓에,
그들이 대단한 탓에
꿈은 취미에 뭉개지고
위태로웠던 별은 무너진다.

고요한 한탄

점에서 점으로
선에서 선으로
내가 이은 검은 별자리는
나의 고요한 한탄에 불과하다.

들어주는 이
하나 없지만
내뱉지 않으면 억울할,

어떠한 비관도 바꾸지 못하는
아주 고요한 한탄.

커다란 욕심

비관마저 사랑하게 된다면
세상은 사랑으로 가득할 텐데,
우주도 사랑만이 가득할 텐데.

부디 다음 장에는 비관이 아니길,
남은 별의 관찰이길,
떨어지는 별똥별에
비관마저 사랑하게 해달라며 욕심부렸다.

4. 우주는 과거를 놓지 않기 위해 팽창한다

마음에 품고 있는 별

누구나 별 하나쯤
마음에 품고 산다.

사랑으로든 꿈으로든
어떤 형태로든지
마음속에 존재하고 있다.

별을 품고 문득 올려다본 밤하늘에는
자신의 별도 저기 어딘가에
자리하고 있을지 상상해보는 일.

내가 품은 작은 별도
저 넓은 우주에서는
떳떳하게 빛나는지 상상해보는 일.

이미 그것만으로도
품고 있던 별이 싹트기 시작한 것이다.

내가 품은 별은
누구보다 밝게 빛나는 별이고
누구보다는 옅게 빛나는 별인 것이 아니라,

마음 깊이 존재하다가
우주를 상상했을 때부터 싹틔우는 것.
그것이 가장 빛나는 나의 별.

별도 별을 소망한다

아픔을 잊은 별도
아픔을 못 잊은 별을 동경하고
추락하는 별똥별도
아직 떠 있는 별을 부러워한다.
빛을 잃은 별도
가장 찬란했던 시절을 그리워한다.

별에게도 과거는 있었기에
별도 별을 소망한다.

넓은 우주

가끔 밤하늘을 올려다보면
허공보다 더 먼 곳에
시선이 정착한다.

밤하늘을 비집고
들어가면 나타나는
별도 달도 없이
아름다운 무의 우주에.

우주는 저렇게나 넓고 아름다운데
일부에 불과한 지구는
너무나도 비좁고 난폭하다.

그래서 그런 것인지
너도나도 서로의 자리를
탐하려고만 한다.
마치 세상의 끝이 있다면
그게 지구인 것처럼.

왜,
지구 바깥에
우주가 있다는 사실을
아무도 모를까.

공허하지만 가득 채워진

별빛들의 향연인 우주를

왜 아무도 깨닫지 못했을까.

물론 나조차도 밤하늘로
잠깐이나마 엿보는 것에 불과하지만,
모두에게 잠깐이라도
밤하늘을 엿볼 시간이 주어진다면 다를까.

다시 먼 허공을 바라보았다.

저 우주에 내 행성쯤 하나 있겠지.
너의 행성도
나의 행성도
우리의 행성도
아마 내 시선이 정착한 그곳에 있겠지.

오늘도 그렇게 믿으며
욕심을 조금 덜었다.

별의 자리

별을 눈으로 헤아리면
별의 밝기가 보이고
별을 손으로 헤아리면
별자리가 보인다.

우리라고 다를 거 있을까.

눈으로 헤아릴 수 없을 뿐,
당신이 꼭 필요한 자리는 반드시 존재한다.

별자리를 잇기 위해
반드시 존재하는 별의 자리가,
하나의 완성을 위한
오직 당신만의 별의 자리가
이 별의 별자리 어딘가에 존재하고 있다.

밝아도 밝지 않아도
분명 어딘가엔 존재하는 별의 자리.

그러니 당장에 정착하지 못해도 괜찮다.

잠시,

아주 잠시 우주를 떠도는 것뿐이니까.

멀찍이 떨어진

느리지 않다.
잘 가고 있다.
뒤처지지 않았다.
정확하게 빛나고 있다.

아무리 멀찍이 떨어진 별이라도
그게 절실한 빛이라면,
정말 간절한 꿈이라면
아직 늦지 않았다.

느리지 않다고
잘 가고 있다고
뒤처지지 않았다고
당신은 정확하게 빛나고 있다고,

꼭 말해주고 싶었다.

밤하늘의 빛들

도로 위 빽빽이 들어선 가로등.

여린 달빛을 대변하듯
거리를 환하게 비춘다.

이제는 달빛이 없어도 되겠구나,
저 아름다운 별들도 장식일 뿐이구나,
가로등만이 밤의 빛이 되겠구나,
하며 무심하게 밤하늘을 본다.

달은 여전히 어딘가를 비추고 있고
별들도 여전히 재잘재잘 떠들고 있다.

아, 내 발밑에 있던 꽃이었구나.
달이 비추고 있던 것은
별들이 이야기를 들려주던 것은
아침을 기다리는 꽃이었구나.

무신경한 나도
앞길 밝히는 가로등도 아닌,
밤하늘의 빛들이 꽃의 기다림 돕고 있었구나.

새소리에 우주도 잠을 깨고

어릴 적 내 잠을 방해하던 건
아침 새들의 지저귐이었다.

밤새 그리던 새 모양 별자리가
아침만 되면 살아 숨 쉬며 내 잠을 방해했다.

그 소리에 우주도 잠에서 깨어나고
태양을 급히 하늘에 띄웠다.

이것도 이젠 다 옛말이다.

지구온난화로 꽁꽁 얼어붙은 지구는
태양으로도 녹일 수 없게 되었고,
아침마다 잠 깨워주던 새들은
모두 자신의 별로 떠났나 보다.

우주를 깨우던 새들이 없어지자
태양이 떠오르는 속도도 게을러지고
나 또한 게을러지는 것이다.

그땐 그랬지, 하며 혹여나 다시 살아 숨 쉴까,
오늘 밤하늘에 괜스레 새 모양 별자리를 새겼다.

밤에 피운 꽃

어두워서 잘 보이지도 않는데
뭐가 좋다고 그리 활짝 피었을까.

찾아올 손님이라고는
달빛과 별빛의 드나듦인데
아침 해를 바라는 표정으로
줄기를 꼿꼿하게 피고 있구나.

그래,
밤에 피어나면 어떠냐.

아침은 오고
바라던 해도 떠오를 텐데,
기다림은 가고
외로움을 달래주던 달도 별도 질 텐데.

내일을 향해

차갑게 식은 것처럼
생기가 보이지 않는 우주는
별의 생이 다할 때까지
제 삶을 겨우겨우 연명하고 있지만,

차가운 칠흑 속에서
과거의 빛을 잃지 않기 위해서
끊임없이 내일을 팽창하고 모레를 팽창한다.

우주가 빛을 잃지 않기 위해
과거에 피운 빛이 헛되지 않기 위해
별들이 전부 꺼지지 않기 위해.

내일을 향해 팽창하는 우주.

우주는 과거를 놓지 않기 위해 팽창한다

우주는 팽창한다.

끝없이 늘어나는 과거를
끝없이 담아내기 위해서

하나도 잊지 않고
하나도 버려지지 않도록

과거는 소중하니까,
비록 별이 메워져 미화되어도
놓을 수 없는 우주의 거름이니까.

우주는 과거를 놓지 않기 위해 팽창한다.

하지만 나는 그럴 수 없다.

끝이 있는 과거를
끝까지 담아낼 수 없다.

대게는 잊어버리고
대게는 버려질 기억이다.

과거는 소중하지만,
결국에는 상처도
미화되기 마련이고

미화된 아픔은 놓아주고
나아가야 하니까.

새소리가 예전 같지 않듯
나도 예전 같으면 안 되니까.

이젠 과거를 놓아주고 나아가겠다.

붙잡고 있던 과거에게

안녕,
내 일생에서 한순간에 지나지 않는 과거야.

이제는 돌아갈 수도 만질 수도 없는
새살로 뒤덮인 상처투성이 과거야,

이제는 나도 잘 나아가고 있어.

밤하늘을 볼 시간적 여유도,
그 밤하늘 안에서 별들의 이야기도 듣고
저 넓은 우주에서 내 자리를 찾을 심적 여유도 생겼어.
길을 잃을 때쯤에는 달을 보며 나아갈 수도 있게 되었고,
밤에 피는 꽃을 보며 좌절하지 않는 법도 배웠어.

나는 팽창하지 않아서
더는 너를 붙잡아둘 수 없으니까,
이제는 너도 잘 살았으면 해.

미화에 묻혀 아픔을 잊지 않고
망각에 못 이겨 추억을 지우지 말고
과거로서 거기서 빛났으면 해.

안녕,
여기 잘 두고 갈게.

나아감에 있어서 사랑이란

내가 나아갈 수 있도록
내 등을 꾸역꾸역 밀던 것은,

잘 살겠다는 다짐도
지나간 일의 후회도
찬란한 별에 대한 동경도 아닌
사랑이었다.

나아감에 있어서 사랑이란
심연을 밝혀줄
우주의 빛 같은 것이 아닐까.

나침반

가끔은,
모든 것을 내려놓고 싶을 때가 있다.

무엇을 해야 할지도 모르겠고
어디가 길인지도 모를 때.
별보다 작아도 한참 작은 먼지라
이 먼지 하나 털어내도
별은 잘 돌아갈 거라는 생각이 들 때.

그럴 때마다 올려다본 밤하늘은
둘도 없을 나침반이 되어줬다.

나보다 작은 주제에
작은 것들이 뭉쳐
북두칠성이 되어
올바른 길로 인도해주던 별과

어둠 속인 밤하늘에서도
가장 밝은 빛이 되어준 달이

가끔은 모든 것을 내려놓아도 좋으니,
따라오기만 해달라고 손짓하는 것이었다.

별의 쉼터

잠시 쉬었다 가도 좋다,
별의 끝도 시의 끝도
저만치 멀리 달아났으니,
잠시 쉬었다 가도 좋다,

나서부터 달리기만 한 아픔아,
다시 내게로 와서 별이 되어줘야 하니,
황폐한 우주를 다시 비춰줘야 하니
아직은 쉬었다 가거라,

여기 별의 쉼터에서,

나아가자

사무치는 그리움이
앞길을 방해할 때면
너도 이리 와서 같이 나아가자고,
더는 두고 가지 않겠다고,
안아주며 얘기해도 좋을 텐데.

밤하늘에 새겨진 빛나는 흉터들

우주에게 있어서 흉터란
누가 보아도 아름답다고 생각할,
밤하늘에 새겨진 빛나는 별들일 것이다.

비록 아픔을 통해 태어났지만
경험이라는 이름으로 덮고,
성장이라는 발판으로 사용되어
결과까지 함께한 상처기 때문에,

우리에게 있어서 흉터란
밤하늘에 새겨진 빛나는 별과 같은
세상에서 가장 아름다운 상징일 것이다.

달에게도 상처는 있듯이

오늘도 세상을 비추는
저 커다란 달은
움푹 파인 크고 작은
아픈 상처를 달고 산다.

어떤 상처는
가릴 수 없을 만큼 크고
어떤 상처는
달빛을 앗아가기도 한다.

저 커다란 달도
고생이 많았을 텐데,
여전히 여기를 비추고 있다.

여전히 변함없이
빛을 잃지 않고.

보이지 않는 별

분명 저 하늘에는
보이지 않는 별이 존재한다.

아침에도 별은 떠 있지만
태양에 먹혀 비추지 못해서
구름에 가려 보이지 않아서,

보이지 않아도
어디선가 분명하게 빛나는 별.
보이지 않지만
태양보다 밝게 빛나려 노력하는 별.

이 별의 푸른 하늘은
아마 그 별들의 빛이 아닐까.

5. 끝나지 않는 사소한 우주

이런 추운 날에는

이런 추운 날에는
울지 말자.

네 눈물이 고이다 못해
얼어서 떨어지면,
추락하는 별이
내게로 떨어지는 것보다
더 아플 테니까.

이런 추운 날에는
웃기로 하자.

전갈자리

저 밤하늘에 놓인 전갈은
몸짓 하나 없이
아름다운 꿈의 색을
독 대신 온몸에 품고 있지만,

같은 전갈자리인 나는
어떤 몸짓으로도
저 아름다움을 취할 수 없다.

손에 닿을 수 없기에
존재할 수 있는 아름다움인가.
꿈이라는 추상적이고 아리송한
신비한 색을 품고 있기 때문인가.

왜인지 나는
온갖 부정의 독을 품었는데,
저 밤하늘의 전갈자리는
이 별에서는 품을 수 없는
너무 거창한 별자리였나.

증거

내가 죽고
내 무덤을 파면
작은 별 조각이
고스란히 들어있길.
이야기했고,
들었으며,
받아적었고,
살아있었다는,
그마저도 모두
별들의 이야기였다는
아주 작은 증거.

별 조각

저 수 많은 별에 미치지 않아도
단 한 편의 시가 되어도 좋다.

내가 이 페이지에 있었고
누군가가 이 페이지를 보았고
다시 내가 이 페이지를 상상했다면,

우주가 아니어도
차마 별이 못되어도
하나의 별 조각에 지나도 좋으니,
밤하늘에 우두커니 자리 잡은 별 조각이기를.

그저 달에게 비는 작은 소원.

소원

부질없다.

살아있고,
잘 먹고,
잘 자고,
웃을 수 있고,
목 놓아
울 수 있으면 된 거지.

아직 무슨 욕심이 남았길래
저 달에 소원을 비는 걸까.

별바라기

저 아득히 먼 하늘에
가장 찬란히 빛나는 별을 보며
그 별 옆에 별이 되길 소망하는
별바라기.

자신도 언젠가는
저 멋진 별 옆에서
별이 되겠지,
이어진 별자리가 되겠지,
하며 밤을 지새우는
별바라기.

별은 못되더라도
별이 되기 위해,
별에 닿기 위해,
성장하고 또 성장하는

결국, 별바라기가 된 꽃.
결국, 별바라기만 된 꽃.
세상에서 가장 멋진 꽃.
참으로 안타까운 꽃.

끝나지 않는 사소한 우주

당장 나만 해도
너무나도 사소한 이야기인데,

이 사소함이 모여서 별을 만들고
또 별을 지탱하는 선들을 긋다 보면
하나의 우주가 담기에는
너무 커다란 이야기가 아닌가 싶다.

그런데도 우주는 끝나지 않으니.

부모

하나의 별이 탄생하는 10개월간
그 작은 탄생을 품는 우주가 있다.

그렇게 태어난 별은
그 우주에 대해 착각한다.

자신이 빛나지 않는 건
우주가 너무 어두워서라고,
자신이 큰 별이 아닌 건
우주가 너무 비좁기 때문이라고,

사실 그 우주는
전혀 어둡지 않다.
전혀 비좁지 않다.

하나의 별을 위해
온몸을 불사르며
자신을 아끼지 않는 우주.

하나의 별의 행복을 보며
더 큰 행복을 느끼고
하나의 별의 슬픔을 보며
더 큰 슬픔을 느끼는
아주 커다란 우주.

사랑으로 품었지만
미움받고 있는 외로운 우주.

그것이 별이 착각 중이던
진실한 우주의 모습이다.

별이 전하는 사랑

매일 내게 말을 거는 별들은
오늘도 가는 빨랫줄에 걸터앉아
사랑을 노래하고 있다.

어떤 별은 서툰 사랑을,
어떤 별은 아픈 사랑을,
어떤 별은 슬픈 사랑을,
어떤 별은 작은 사랑을.

사랑에는 여러 형태가 있고
별들 또한 그런 사랑을 이야기하지만,
그냥
모든 사랑이 행복하면 좋겠다.

밤하늘을 닮은 바다

너는 밤하늘을 보고
나는 바다를 본다.

이 둘은 묘하게 닮아있다.

바다와 밤바다 모두
보이지 않는 새카만 어둠을 배경으로
빛나는 작은 점들이 존재한다.

밤하늘에는 별이,
이곳에는 거품이
어둠에서 살아 숨 쉬는
한 줌의 빛이 되어있다.

만일 내가 죽는다면 이곳이면 좋겠다.
밤하늘의 품에서 서서히 죽어가는 기분일까.

그렇게 된다면 아마
나도 네가 보는 별 중 하나가 되겠지.

한 편의 시

한 편의 시가 되기에는
너무 사소한 별이 있었고
너무 짧은 별자리도 있었다.

한 편의 시가 되기에는
너무 지루한 별이 있었고
너무 긴 별자리도 있었다.

한 편의 시는
별자리의 중간,
그 어딘가에서 탄생한다.

금붕어

열심히 살기로 했는데
열심히 사는 법을 잊었다.

꽃에 물을 주는 법을 잊었고,
매일 아침 새소리를 듣는 법을 잊었다.

백지를 빼곡히 채우는 법도,
시간을 달려서 보내는 법도,
다가올 계절을 맞이하는 법도,
지나간 미련을 두고 오는 법도,
두려워하지 않는 법도,
한 발 한 발 내딛는 법도.

잊지 않는 거라고는
살아 숨 쉬고 먹는 법이다.

마치 고민하는 법을 깨우친 금붕어처럼.

가끔은

가끔은
노래 한 소절이
백 마디의 위로보다 낫다.

가끔은
펄럭이는 날개가
백 마디의 응원보다 낫다.

가끔은
별빛 한 줌이
백 마디의 희망보다 낫다.

가끔은 그렇다.

불면의 시간

잠시 잠 깬 새벽에는
모두가 약속한 듯
적막에서 깨어나지 않는다.
새벽의 향기는
내 코를 한켠을
적시기에 충분했다.
여태껏
내 새벽을 지켜주던
별과 달에게
이제는 내가 지켜줄 테니
잠들어도 된다며,
해가 뜨기 전까지
적셔진 코와 눈으로
새벽을 품에 안고
불면의 시간을 보냈다.

함박눈

오늘이 아니면
모두 사라져버릴 것처럼
쉴새 없이 내리는 함박눈.

살갗에 닿으면
사라질 거면서,
뭐가 그리 급하다고
이렇게나 많은 눈이
한 겹 한 겹 쌓여갈까.

오늘 밤에는
빛나는 밤하늘이 없겠구나.
차가운 포옹을 하려
내게 달려드는 눈만이 남겠구나.

어쩌면 이것도 괜찮겠다.
빛나지 않는 밤이더라도
안길 수 있으니 괜찮겠다.

눈물

흘리지 않은 눈물이라도
알아볼 필요가 있다.

잔뜩 머금던 눈물이라도
살펴볼 필요가 있다.

밤하늘 엿보는 척,
흘리지 않으려 애쓰던 눈물도
흘려볼 필요가 있다.

의미 없는 눈물은 없고
필요 없는 눈물도 없고.

눈물은 나를 대변하니까.

포옹

포옹이 좋다.

나 혼자가
아닌 것 같아서,

외로운 우주가
아닌 것 같아서,

몹시 찬 겨울도
아닌 것 같아서,

이제는 아프지
않을 것 같아서.

그래서 포옹이 좋다.

두려움으로부터
나를 가려주는
암막 커튼 같아서.

내일

예쁜 풍경이 지고
달이 뜬다.
고요한 새벽은
잔잔하고 분주하게
잠들지 않은
남은 이들을 위해
별의 무대를 준비하고,
남은 이들은
그 무대를 자장가 삼아
겨우겨우
하루를 버텨내는 것.

그것이 내일을 맞이하는 것.
그렇게 내일이 뜨는 것.

잠들지 않은 밤은 너를 위하여

잠들지 않은 밤,
여백에는 항상 네가 있다.
쓰지는 않았지만
자연스레 그려지는
저 예쁜 별자리처럼.
이런 밤은 아마,
너를 위한 밤인가 보다.

공책에는 자꾸만
너와 닮은 걸 끄적이고
남은 여백에는
너와 닮은 걸 상상하는
잠들지 않은 밤.

집 앞 문방구

학교가 끝나면
불량식품을 골라
사 먹곤 했던
집 앞 문방구.

천 원짜리 지폐
한 장만 있어도
불량한 배부름을
느낄 수 있던
집 앞 문방구.

그중에 나는
별사탕을 좋아했는데
이제는 눈으로
헤아리는 것이 전부다.

기억의 작은 편린

사소했지만
그 사소함에

감동했고
기뻐했고
즐거웠고
사랑했고
슬퍼했고
실망했고
증오했고
억울했고
그리워했다.

그래도 행복했다.

기억의 작은 편린이라도
별 또한 밤하늘의
작은 편린에 불과하기에,

제법 추억이라 불릴 만하다.

6. 순백의 우주와 검은 별자리

혼잣말

내 외로운 공기를
가득 메워주는 혼잣말들.

노래가 되고,
친구가 되고,
이야기가 되고,
시가 되는.

별들의 혼잣말을
받아적는 나처럼
내 혼잣말도
누군가가 받아적을까, 하고
의미 없는 사소함을 내뱉는다.

외침

고요한 어둠에서 외쳤던
내 외침은 메아리가 되어 돌아왔다.
고독한 독백 속
몰려오는 파도처럼

외로운 외침을 늘어놓다 보니
하나의 우주가 되었다.

저 외침은 우리가 이별한 별이고
이 외침은 우리가 사랑했던 별이다.
그리고 지금 외칠 외침은 고독인가,

그렇게 또 한바탕 외침을 늘어놓았다.

받아적는 역할

외침과 혼잣말 모두
받아적는 것은 나였다.

별도 달도 아닌, 나.

나 또한 하나의 별이기에
별의 이야기를 적는 나기에
받아적는 것은 나였다.

이왕 받아적는 역할이라면
모든 것을 받아적고 싶었기에
내 입에서 손으로
내 손에서 백지로
밤하늘에 별자리를 새기듯
하얀 종이 위에 시를 새겼다.

새하얀 페이지는
순백의 우주가 되었고
새까만 글자들은
꿈틀거리는 검은 별자리가 되었다.

아마도 나의 시는
밤하늘에서 시작되었나 보다.

가득한 우주

우주에 여백은 없다.
별과 별이, 행성과 행성이,
이야기들이 가득 차버려서
아무것도 없는
공허처럼 보이는 것뿐이다.

그리고 나는 그걸
하나씩 빼내는 중이었다.

가장 빛나는 별은 없다

가장 빛나는 별은 없다.
모두 각자의 위치에서
모두 각자의 세기로
그저 있는 힘껏 빛내고 있지만,

사랑은 아름다운 이야기고
이별은 공감의 이야기고
슬픔은 위로의 이야기며
행복은 바라는 이야기기에,
다 같은 빛이지만
다른 빛깔의 빛이기에,

가장 빛나는 별은 없지만,
모두 각자의 필요에 따라
모두 각자의 이야기를
가장 빛나는 별로 바라보는 것.

순백의 우주와 검은 별자리

하고 싶은 말은 많지만
내 모든 사랑을 전하기에는
저 칠흑 같은 우주가 삼켜버릴까,
차라리 순백의 백지에
내 우주를 만들고자 하였다.

아마 내 사랑의 형태는
검은 점들을 이은 별자리라서,
우주 없이 별만이 존재하는 이 공간에
별자리를 한 자 한 자 새겨넣는다.

이 페이지에도 그대들이 살고
다음 페이지에도 여전히,

우리가 되지 못한 페이지라도
순백의 우주에서 검은 별자리로,
가장 아름다운 형태로 그대들이 살고 있기를.

별

가장 아름다운 우리,
가장 아름다운 청춘,
가장 아름다운 그대,
가장 아픈 시기,
가장 아픈 사랑,
가장 아픈 관계,

모든 아름다움과 아픔의 집합체,
나는 별이라고 부르기로 하였다.

기약

우리 다시 만나자.

여기가 끝은 아니니까.
우주는 팽창하고
꿈은 불어나니까.
이야기는 늘어나고
쉬지 않고 떠들 테니까.
별이 빛나지 않아도
빛나지 않는 행성이어도
어떤 모습도 괜찮으니까.

아파해도 되니까
사랑하고,
울어도 되니까
슬퍼하고,
실패해도 되니까
도전하고,
행복할 테니까
그냥 웃자.

아픔이 남지 않은 날,
행복만이 남은 우주에서
웃으면서 다시 만나자.

다음을 기약하며,

작가의 말

기쁜 사랑이었든,
깊은 사랑이었든,
아픈 사랑이었든,
슬픈 사랑이었든,
어떤 사랑이었든.

앞으로는 쭉,
행복했으면 좋겠습니다.

밤하늘 별처럼
아름답게 빛나는 청춘들에게
이 책을 바칩니다.

읽어주셔서 감사합니다.

우리가 별자리로 이어지지 못한대도

발　행 | 2024년 01월 22일
저　자 | 김한울
펴낸이 | 한건희
펴낸곳 | 주식회사 부크크
출판사등록 | 2014.07.15.(제2014-16호)
주　소 | 서울특별시 금천구 가산디지털1로 119 SK트윈타워 A동 305호
전　화 | 1670-8316
이메일 | info@bookk.co.kr

ISBN | 979-11-410-6806-6

www.bookk.co.kr